Bracelets brésiliens, wraps, macramés, tresses

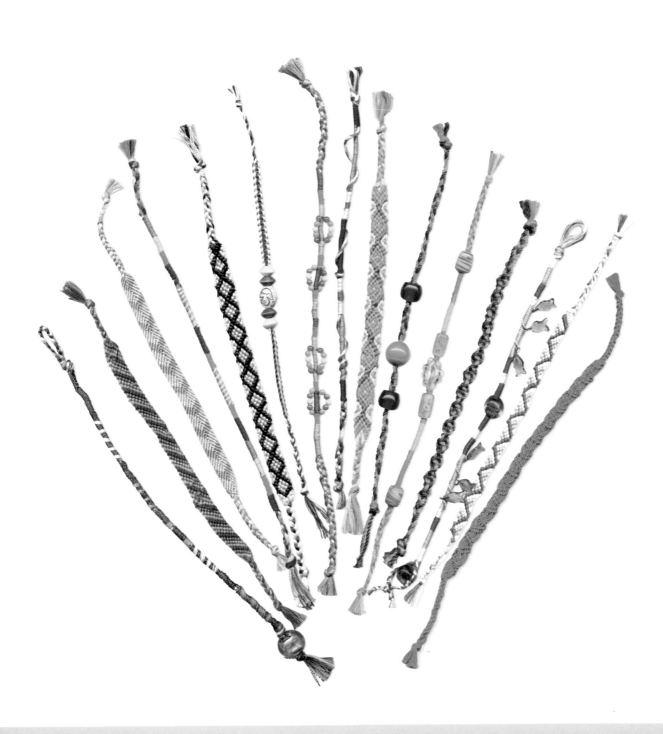

Sommaire

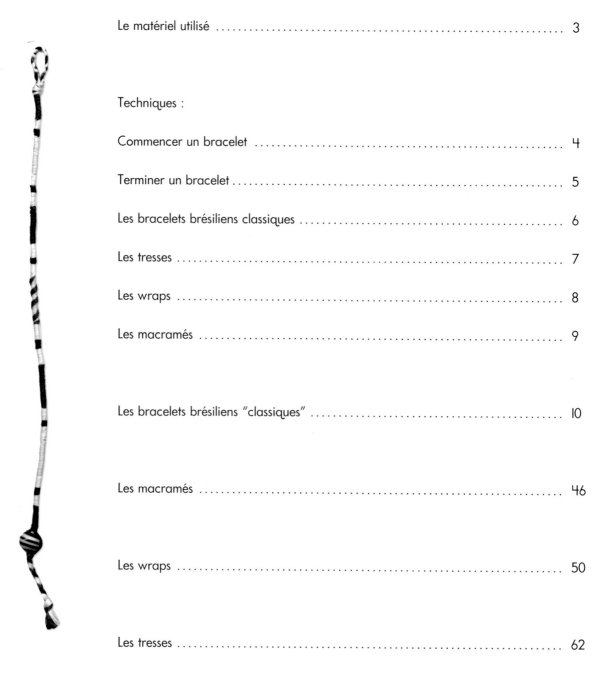

Le matériel utilisé

Pour les bracelets brésiliens "classiques",

le mieux est d'utiliser des fils de coton perlé

ou coton à broder.

Pour les tresses, wraps et "macramés" on peut utiliser

toutes sortes de fils de coton de toutes épaisseurs,

lanières de cuir ou cordelettes.

Ciseaux

Épingle de nourrice

Perles de toutes sortes pour les finitions

et la décoration.

Techniques

Commencer un bracelet

Il existe plusieurs façons de commencer un bracelet :

- nœud simple :
Nouez tous les fils ensemble en espaçant de 10 cm environ et commencez directement le bracelet.

- boucle simple :
Pliez en deux les fils et faites un nœud en gardant une petite boucle.

- boucle tressée :
Faites un nœud avec tous les fils à un peu moins du milieu, puis faites une tresse d'environ 3 cm, enlevez le premier nœud, pliez la tresse en deux en veillant à ce qu'elle ne se défasse pas pour former une boucle que vous fixez en faisant un nouveau nœud avec les fils tressés.

Pour commencer votre bracelet, passez l'épingle de nourrice à travers le nœud ou la tresse et fixez-la sur un support.
Le plus simple est de la fixer sur votre pantalon. Si le tissu est fragile vous pouvez utiliser un foulard que vous nouerez au niveau de votre genou.

Techniques

Terminer un bracelet

- tresse + nœud :
Pour les bracelets commencés par un nœud simple, terminez le bracelet en tressant les fils puis en les nouant. Dénouez le nœud du début puis tressez les 10 cm et terminez par un nouveau nœud.
Attachez, ensuite, le bracelet en nouant les 2 tresses soit avec un nœud simple soit avec un nœud plat, plus facile à défaire.

Pour les bracelets commencés par une boucle, vous pouvez terminez le bracelet de 2 façons :

- double tresse :
Séparez les fils en 2 groupes et faites 2 petites tresses que vous pourrez nouer ensuite ensemble à travers la boucle.

- perle
Passez les fils dans une perle et bloquez celle-ci en faisant un nœud juste après. Pour mieux fixer la perle, vous pouvez faire un nœud avant de l'enfiler puis un nœud après. Passez la perle dans la boucle pour attacher le bracelet au poignet.
Attention à prendre une perle suffisamment grosse pour "bloquer" la boucle.

Techniques

Les bracelets brésiliens "classiques"

Pour les bracelets brésiliens, vous aurez besoin de fils d'environ 90 cm chacun, ou si vous commencez par une boucle, prenez 180 cm pliés en 2.

La technique des bracelets brésiliens se base sur une combinaison de doubles nœuds.
Il existe 4 sortes de nœuds qui composeront les bracelets :

- le nœud à droite

Tenez le fil de droite bien tendu avec la main gauche. Formez un nœud à l'endroit sur le fil de droite en passant le fil de gauche d'abord par-dessus puis ensuite par-dessous le fil de droite. Le fil de gauche forme donc une boucle sur lui-même autour du fil de droite.
Faites un 2e nœud. Le fil de gauche se retrouve ainsi à droite. Le "nœud à droite" est réalisé.

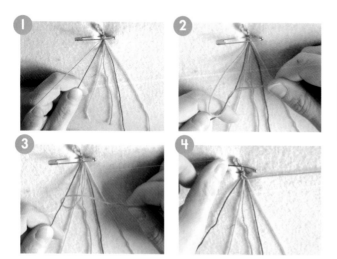

- le nœud à gauche

Tenez le fil de gauche bien tendu avec la main gauche et formez un nœud à l'envers sur le fil de gauche en passant le fil de droite d'abord par-dessus puis ensuite par-dessous le fil de gauche. Le fil de droite forme donc une boucle sur lui-même autour du fil de gauche.
Faites un 2e nœud. Le fil de droite se retrouve ainsi à gauche. Le "nœud à gauche" est réalisé.

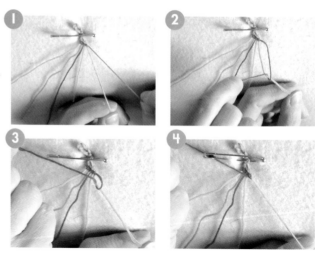

Attention : ne laissez pas d'espace entre les nœuds, serrez bien vos nœuds au sein d'un même point en les maintenant les uns contre les autres et travaillez toujours avec des fils tendus, pour obtenir un résultat bien régulier. Plus les nœuds seront réguliers plus le bracelet sera réussi. La façon dont vous disposez les fils au départ détermine l'ordre d'arrivée et de tissage du bracelet : elle est donc primordiale.

Techniques

- le nœud inversé à droite

Le nœud commence dans un sens et finit dans l'autre. Faites d'abord un nœud à droite en maintenant le fil de droite dans la main gauche et en créant une boucle à droite avec le fil de gauche. Puis faites un nœud à gauche en gardant toujours le fil initialement à droite dans la main gauche et en créant une boucle à gauche. Les fils gardent ainsi la même position.

- le nœud inversé à gauche

Comme pour le nœud inversé à droite, le nœud commence dans un sens et finit dans l'autre.

Faites d'abord un nœud à gauche en maintenant le fil de gauche dans la main gauche et en créant une boucle à droite avec le fil de droite. Puis faites un nœud à droite en gardant toujours le fil initialement à gauche dans la main gauche et en créant une boucle à droite. Les fils gardent encore la même position.

Les tresses

Sans doute la technique la plus simple qui permet de créer des bracelets faciles et rapides à faire. Prenez des fils d'environ 60 cm. Utilisez toujours un nombre de fils multiple de 3 pour que ce soit plus harmonieux. Tressez-les jusqu'à la longueur voulue, en plaçant les fils les uns au-dessus des autres comme sur les photos.

Conseils

Les bracelets en coton se nettoient très bien avec un peu de shampoing.

Les photos présentent ici les bracelets brésiliens du côté de leur confection, mais vous pouvez aussi les porter de l'autre côté.

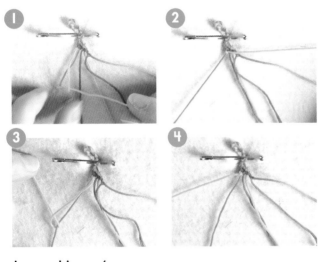

**le nœud inversé
à droite**

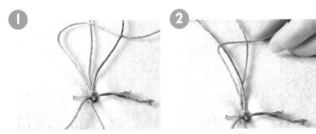
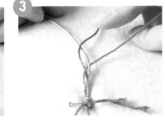
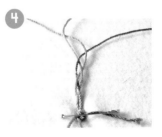

Les tresses

Techniques

Les wraps

Pour les wraps, vous aurez besoin de fils d'environ 70 cm chacun, ou si vous commencez par une boucle, utilisez 140 cm pliés en 2.

Ainsi, lorsque la liste des fournitures indique 1 fil d'une couleur, il s'agit d'un fil de 140 cm et quand on indique 2 fils d'une même couleur, il s'agit de 2 fils de 70 cm.

Maintenez les fils avec la main gauche et avec la main droite, prenez le fil de votre choix pour l'enrouler plusieurs fois autour des autres fils. Serrez bien et faites autant de tours que nécessaire pour obtenir la longueur voulue. Placez ensuite ce fil avec les autres fils en veillant à le maintenir fermement et à garder l'enroulement bien serré. Avec la main droite, choisissez le fil d'une nouvelle couleur, en prenant toujours le fil le plus long de la couleur choisie. Enroulez ce nouveau fil autour des autres de la même façon que le 1er et continuez ainsi de suite jusqu'à obtenir un bracelet de la longueur voulue.

Vous pouvez terminer en fixant le dernier enroulement avec un petit nœud à droite pour éviter qu'il se desserre lors de la finition du bracelet.

Pour bien maintenir les perles enfilées sur les fils, n'oubliez pas de faire un petit nœud à droite avec un fil avant et après la perle.

Si votre enroulement n'est pas assez serré vous pouvez prendre les derniers tours entre le pouce et l'index de votre main droite et les remonter vers le haut du bracelet : cela serre le fil.

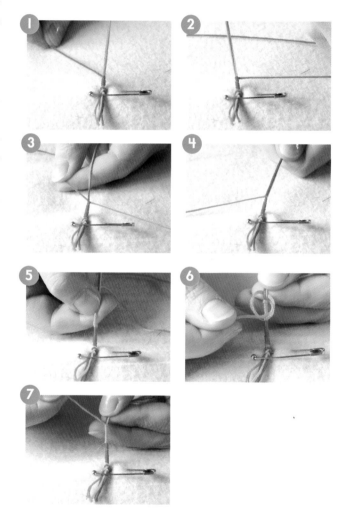

Techniques

Les macramés

Pour les bracelets en macramé, vous aurez besoin de 2 fils d'environ I m ou d'un fil de 2 m plié en deux pour le tressage, et de 2 fils d'environ 50 cm, ou d'un fil de I m plié en 2 pour les fils du centre.

Il existe 2 techniques pour les bracelets en macramé :

- le noeud plat

Avec les fils "extérieurs", faites un nœud plat au-dessus des fils du centre, en plaçant le fil de gauche en dessous et le fil de droite au-dessus des fils du centre. Le fil de droite passe dans la boucle du fil de gauche. Faites un deuxième nœud en inversant le sens : le fil de gauche passe au-dessus des fils du centre et le fil de droite passe en dessous des fils du centre. C'est le fil de gauche qui passe dans la boucle du fil de droite. Continuez le bracelet en alternant ainsi les nœuds.

- le noeud torsadé

Il s'agit de la même technique, mais on répète toujours le même nœud : avec les fils "extérieurs", on fait un nœud plat au-dessus des fils du centre, en plaçant le fil de gauche en dessous et le fil de droite au-dessus des fils du centre. Le fil de droite passe dans la boucle du fil de gauche. Et ainsi de suite jusqu'à la longueur désirée

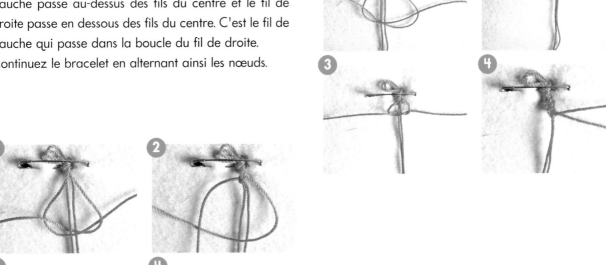

Les bracelets brésiliens "classiques"

Rayures simples

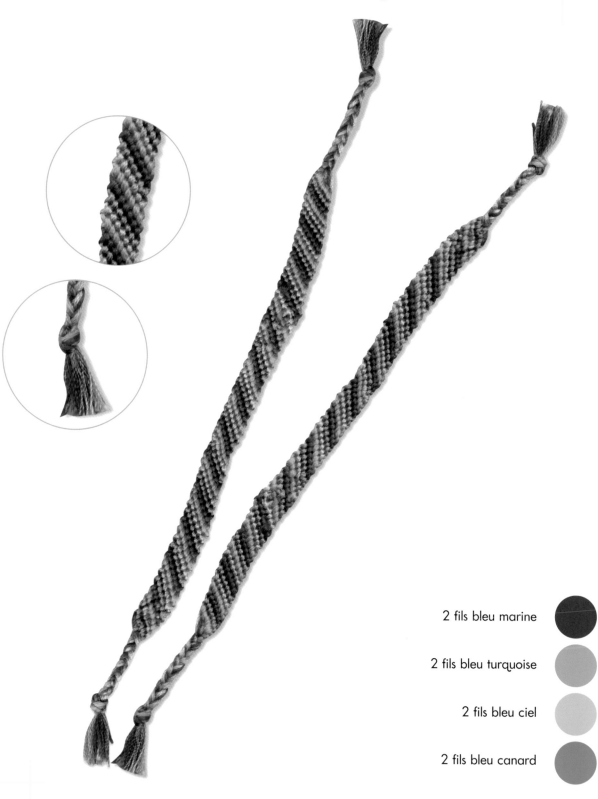

2 fils bleu marine

2 fils bleu turquoise

2 fils bleu ciel

2 fils bleu canard

Réalisation

① 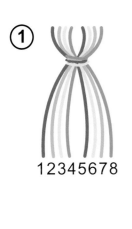 ②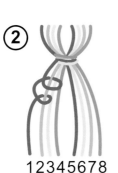

③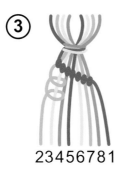

④

1 - Disposez les fils dans l'ordre indiqué sur le schéma.

2 - Le fil 1 fait un nœud à droite sur le fil 2, puis successivement sur les fils 3, 4, 5, 6, 7 et 8. Il passe à droite et la première rangée est faite.

3 - Le fil 2 fait un nœud à droite sur le fil 3 puis sur les fils 4, 5, 6, 7, 8 et I. le fil 2 passe à droite.

4 - Faites de même avec les fils 3, 4, 5, 6, 7 et 8. Chaque fil forme une rangée et on arrive alors à la position initiale.

5 - Continuez sur ce principe jusqu'à la longueur désirée.

Les bracelets brésiliens "classiques"

Rayures plus larges

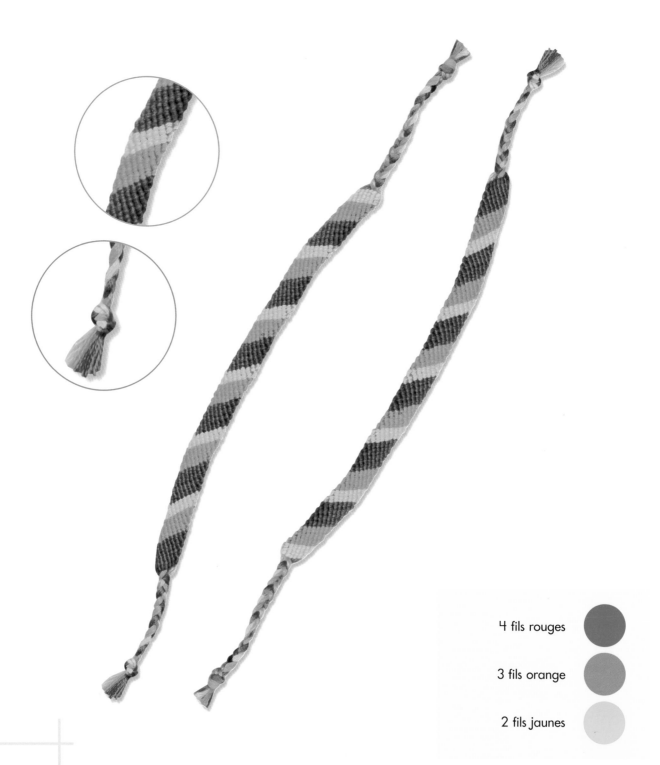

4 fils rouges

3 fils orange

2 fils jaunes

123456789

123456789   234567891

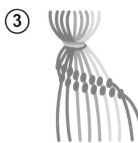

345678912

123456789

On applique ici le même principe que pour les rayures simples ; il suffit juste de jouer sur les couleurs et leur ordre pour créer des rayures plus ou moins larges.

1 - Disposez les fils dans l'ordre indiqué sur le schéma.

2 - Le fil I fait un nœud à droite sur le fil 2, puis successivement sur les fils 3, 4, 5, 6, 7, 8 et 9. Il passe à droite et la première rangée est faite.

3 - Le fil 2 fait un nœud à droite sur le fil 3 puis sur les fils 4, 5, 6, 7, 8, 9 et I. le fil 2 passe à droite.

4 - Faites de même avec les fils 3, 4, 5, 6, 7, 8 et 9. Chaque fil forme une rangée et on arrive alors à la position initiale.

5 - Continuez sur ce principe jusqu'à la longueur désirée.

Les bracelets brésiliens "classiques"

Rayures torsadées

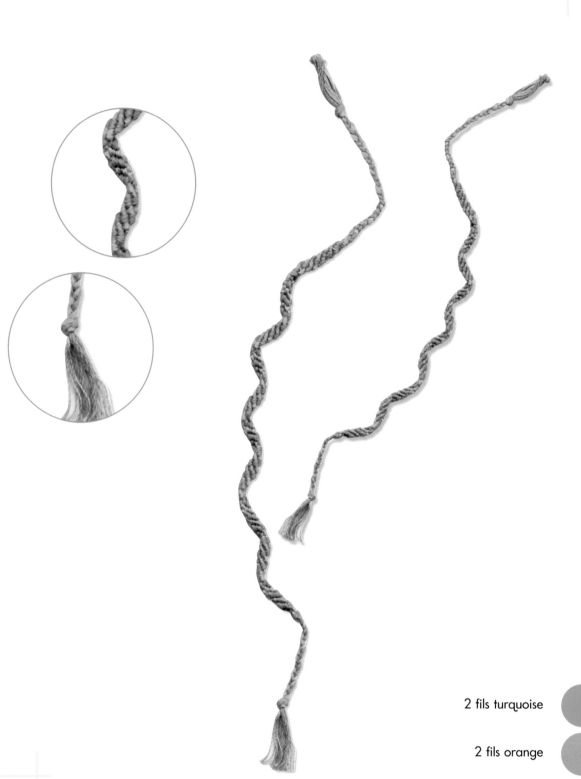

2 fils turquoise

2 fils orange

Réalisation

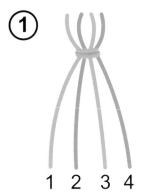

1   2   3   4

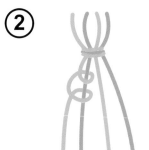

1   2   3   4

2   3   4   1

3   4   1   2

1   2   3   4

Encore une variante du bracelet à rayures simples mais avec seulement 4 fils. Le bracelet va se torsader naturellement au cours du tressage mais vous pouvez aussi accentuer la torsion à la fin.

1 - Disposez les fils dans l'ordre indiqué sur le schéma.

2 - Le fil I fait un nœud à droite sur le fil 2, puis successivement sur les fils 3 et 4. Il passe à droite et la première rangée est faite.

3 - Le fil 2 fait un nœud à droite sur le fil 3 puis sur les fils 4 et I. Le fil 2 passe à droite.

4 - Faites de même avec les fils 3 et 4. Chaque fil forme une rangée et on arrive alors à la position initiale.

5 - Continuez sur ce principe jusqu'à la longueur désirée.

Les bracelets brésiliens "classiques"

Bracelet en V

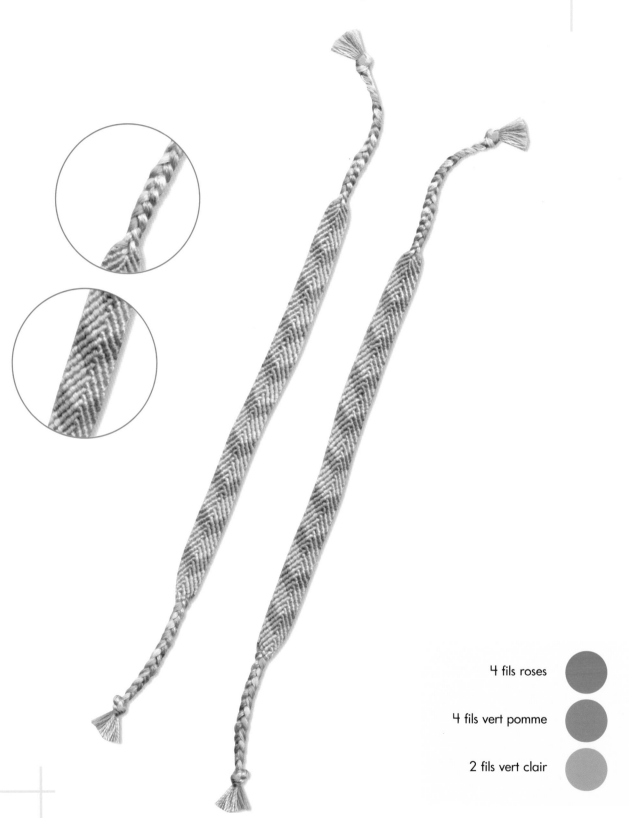

4 fils roses

4 fils vert pomme

2 fils vert clair

Réalisation

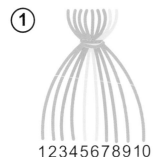

① 1 2 3 4 5 6 7 8 9 10

② 1 2 3 4 5 6 7 8 9 10

2 3 4 5 1 10 6 7 8 9

2 3 4 5 10 1 6 7 8 9

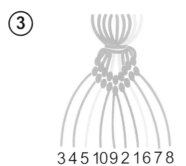

③ 3 4 5 10 9 2 1 6 7 8

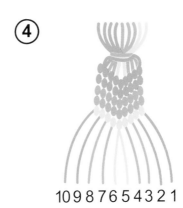

④ 10 9 8 7 6 5 4 3 2 1

1 - Disposez les fils dans l'ordre indiqué sur le schéma.

2 - Le fil I fait une série de nœuds à droite sur les fils 2, 3, 4 et 5. Le fil 10 fait une série de nœuds à gauche sur les fils 9, 8, 7 et 6. Pour terminer le rang, le fil I fait un nœud à droite sur le fil I0.

3 - Le fil 2 fait une série de nœuds à droite sur les fils 3, 4, 5 et I0. Le fil 9 fait une série de nœuds à gauche sur les fils 8, 7, 6 et I. Terminez le rang en faisant un nœud à droite avec le fil 2 sur le fil 9.

4 - Faites de même avec les fils 3, 4 et 5 pour le côté gauche et avec les fils 6, 7 et 8 pour le côté droit pour arriver à la position initiale inversée (de I0 à I).

5 - Reprenez à partir de l'étape 2 et continuez jusqu'à la longueur désirée.

V croisé

2 fils violets

2 fils lavande

2 fils mauves

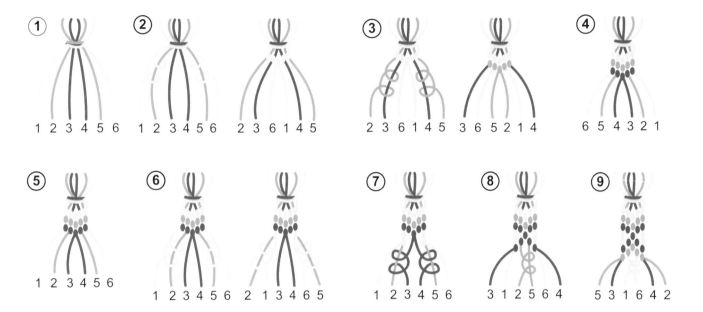

Une variante du bracelet en V avec un croisement et inversion des chevrons au milieu.

1 - Disposez les fils dans l'ordre indiqué sur le schéma.

2 - Le fil I fait une série de nœuds à droite sur les fils 2 et 3. Le fil 6 fait une série de nœuds à gauche sur les fils 5 et 4. Pour terminer le rang, le fil I fait un nœud à droite sur le fil 6.

3 - Le fil 2 fait une série de nœuds à droite sur les fils 3 et 6. Le fil 5 fait une série de nœuds à gauche sur les fils 4 et I. Terminez le rang en faisant un nœud à droite avec le fil 2 sur le fil 5.

4 - Faites de même avec le fil 3 pour le côté gauche et avec le fil 4 pour le côté droit. Vous avez alors 3 rangs de chevrons : I par couleur.

5 - Reprenez à partir de l'étape 2 et continuez jusqu'à la moitié de longueur voulue et arrêtez-vous à un moment où vous êtes revenu à la position initiale (normalement c'est environ au bout de 2I ou de 24 chevrons, selon la taille du

poignet). On va alors créer le croisement.

6 - Le fil I fait un nœud à droite sur le fil 2 et le fil 6 fait un nœud à gauche sur le fil 5. Puis le fil I fait un nœud à gauche sur le fil 2 et le fil 6 fait un nœud à droite sur le fil 5. Les fils I et 6 se retrouvent à la même position.

7 - On continue maintenant les chevrons en commençant par l'intérieur. Le fil 3 fait un nœud à gauche sur les fils 2 et I, et le fil 4 fait un nœud à droite sur les fils 5 et 6.

8 - Le fil 2 fait un nœud à droite sur le fil 5, puis le fil 2 fait un nœud à droite sur les fils 6 et 4, et le fil 5 fait un nœud à gauche sur les fils I et 3.

9 - Le fil I fait un nœud à droite sur le fil 6, puis le fil I fait un nœud à droite sur les fils 4 et 2, et le fil 6 fait un nœud à gauche sur les fils 3 et 5. Reprenez sur le même principe détaillé à partir de l'étape 8 jusqu'à obtenir le même nombre de chevrons que dans la première moitié du bracelet.

Chevrons imbriqués

3 fils rouges

3 fils roses

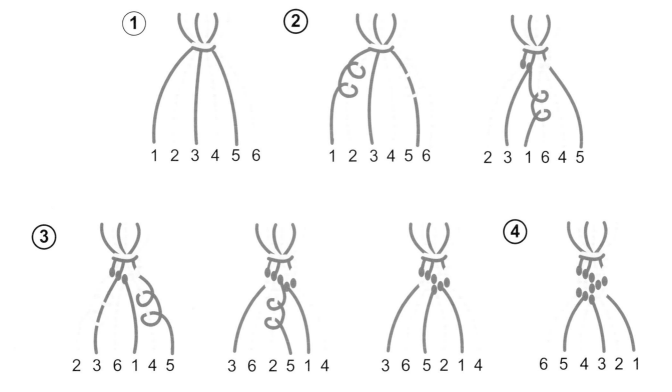

Une variante du bracelet en V avec un "chevauchement" des chevrons qui donnent une impression d'épi de blé.

1 - Disposez les fils dans l'ordre indiqué sur le schéma.

2 - Le fil l fait une série de nœuds à droite sur les fils 2 et 3. Le fil 6 fait une série de nœuds à gauche sur les fils 5 et 4. Pour terminer le rang, le fil l fait un nœud à droite sur le fil 6.

3 - Le fil 2 fait une série de nœuds à droite sur les fils 3 et

6. Le fil 5 fait une série de nœuds à gauche sur les fils 4 et l. Pour terminer le rang, le fil 5 fait un nœud à gauche sur le fil 2.

4 - Reprenez à partir de l'étape 2 et continuez jusqu'à obtenir la longueur voulue.

Une astuce pour vous aider à vous repérer : pour donner cet esprit "épi de blé" ce sera toujours le fil rouge qui terminera le rang, qu'il soit à droite ou à gauche.

Les bracelets brésiliens "classiques"

Zigzag

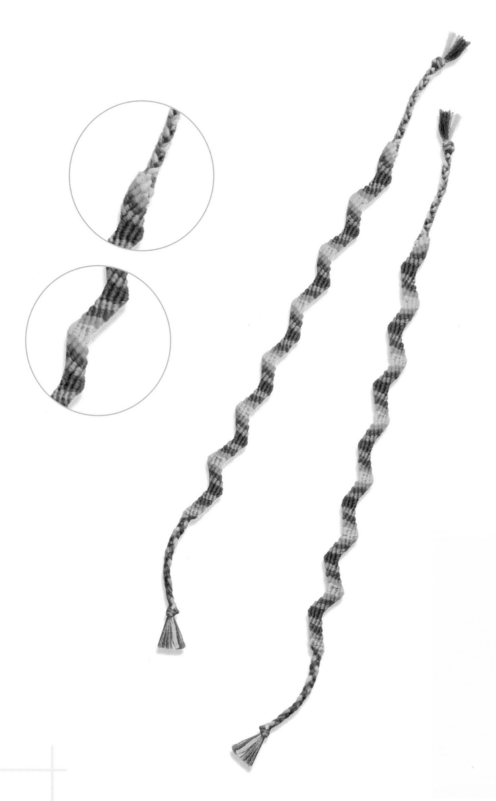

I fil jaune

I fil orange

I fil rouge

I fil vert

I fil bleu

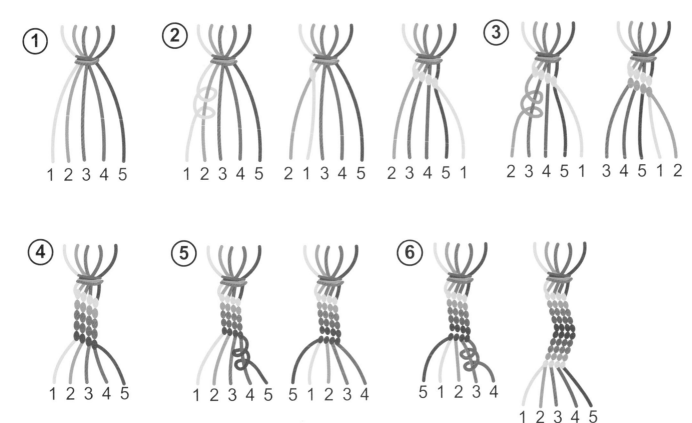

1 - Disposez les fils dans l'ordre indiqué sur le schéma.

2 - Le fil I fait un nœud à droite sur le fil 2, puis successivement sur les fils 3, 4, et 5. Il passe à droite et la première rangée est faite.

3 - Le fil 2 fait un nœud à droite sur le fil 3 puis sur les fils 4, 5, et I. Le fil 2 passe à droite.

4 - Faites de même avec les fils 3, 4 et 5. Chaque fil forme une rangée et on arrive alors à la position initiale.

5 - On repart ensuite dans l'autre sens : le fil 5 fait un nœud à gauche sur le fil 4, puis successivement sur les fils 3, 2 et I.

6 - Le fil 4 fait un nœud à gauche sur le fil 3, puis successivement sur les fils 2, I et 5. Faites de même avec les fils 3, 2 et I.

7 - Reprenez à partir de l'étape 2 et continuez jusqu'à la longueur désirée.

Croisillons

6 fils gris perlé

2 fils gris foncé

Réalisation

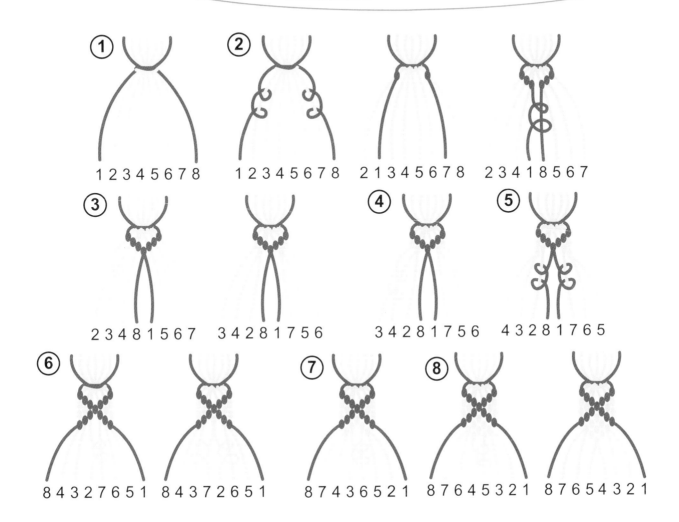

1 - Disposez les fils dans l'ordre indiqué sur le schéma.

2 - Le fil I fait une série de nœuds à droite sur les fils 2, 3 et 4. Le fil 8 fait une série de nœuds à gauche sur les fils 7, 6 et 5. Pour terminer le rang, le fil I fait un nœud à droite sur le fil 8.

3 - Le fil 2 fait un nœud à droite sur les fils 3 et 4. Le fil 7 fait un nœud à gauche sur les fils 6 et 5.

4 - Le fil 3 fait un nœud à droite sur le fil 4, et le fil 6 fait un nœud à gauche sur le fil 5.

5 - Le fil 8 fait une série de nœuds à gauche sur les fils 2, 3 et 4. Le fil I fait une série de nœuds à droite sur les fils 7, 6 et 5.

6 - Le fil 2 fait un nœud à droite sur le fil 7, puis une série de nœuds à droite sur les fils 6 et 5. Le fil 7 fait une série de nœuds à gauche sur les fils 3 et 4.

7 - Le fil 3 fait un nœud à droite sur le fil 6 puis sur le fil 5. Le fil 6 fait un nœud à gauche sur le fil 4.

8 - Pour terminer le losange, le fil 4 fait un nœud à droite sur le fil 5.

9 - Reprenez ensuite à partir de l'étape 2 et continuez jusqu'à la longueur désirée.

Rectangles

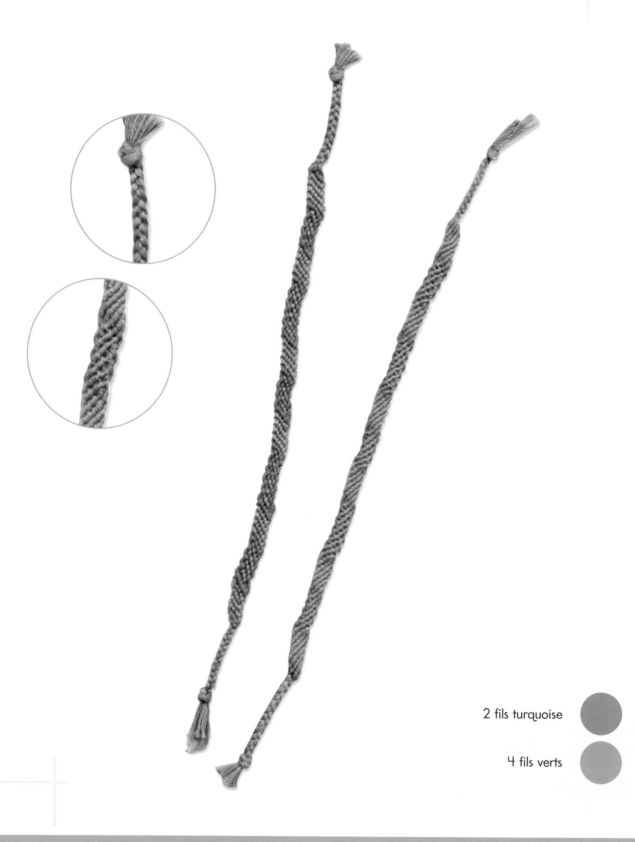

2 fils turquoise

4 fils verts

Réalisation

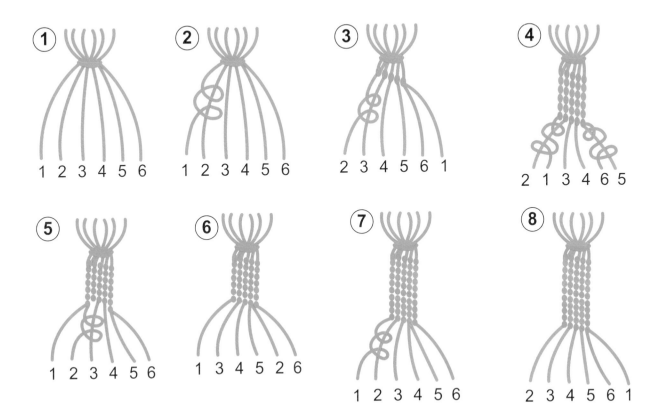

1 - Disposez les fils dans l'ordre indiqué sur le schéma.

2 - Le fil 1 fait un nœud à droite sur le fil 2, puis successivement sur les fils 3, 4, 5, et 6. Il passe à droite et la première rangée est faite.

3 - Le fil 2 fait une série de nœuds à droite sur les fils 3, 4, 5, 6 et 1. Le fil 2 passe à droite. Faites de même avec les fils 3, 4, 5 et 6. Chaque fil forme une rangée et on arrive alors à la position initiale.

4 - Le fil 1 fait un nœud inversé à droite (un nœud à l'endroit + un nœud à l'envers) sur le fil 2 ; il reste donc dans sa position initiale à gauche. Le fil 6 fait un nœud inversé à gauche (un nœud à l'envers + un nœud à l'endroit) sur le fil 2 ; il reste donc dans sa position initiale à droite.

5 - Le fil 2 fait une série de nœuds à droite sur les fils 3, 4 et 5.

6 - Répétez la même opération (étapes 4 & 5) avec les fils 3, 4 et 5 au milieu sur 3 rangs (ou plus si vous souhaitez avoir des "rectangles" plus grands).

7 - Pour "fermer" le rectangle, le fil 1 fait une série de nœuds à droite sur les fils 2, 3, 4, 5 et 6.

8 - Reprenez alors à partir de l'étape 3 et continuez sur ce principe jusqu'à la longueur désirée en terminant par 3 rangs verts et un rang turquoise. Vous pouvez varier la taille des "rectangles", comme ici où on a alterné des rectangles de 4 et de 6 rangées.

Triangles

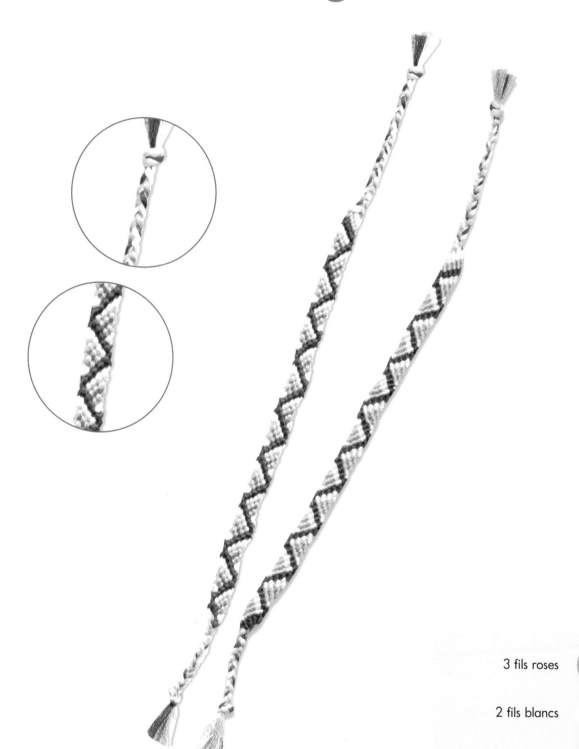

3 fils roses

2 fils blancs

1 fil rose indien

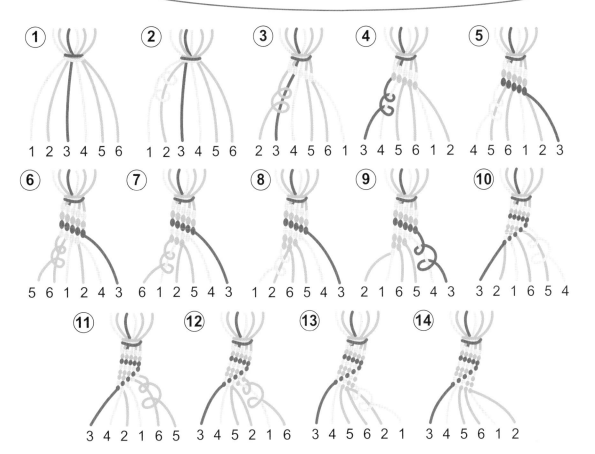

Pour plus de visibilité le blanc a été remplacé par du gris sur les schémas.

1 - Disposez les fils dans l'ordre indiqué sur le schéma.

2 - Le fil I fait un nœud à droite sur le fil 2, puis successivement sur les fils 3, 4, 5, et 6. Il passe à droite et la première rangée est faite.

3 - Le fil 2 fait une série de nœuds à droite sur les fils 3, 4, 5, 6 et I. Le fil 2 passe à droite.

4 - Le fil 3 fait une série de nœuds à droite sur les fils 4, 5, 6, I et 2. Le fil 3 passe à droite.

5 - Le fil 4 fait une série de nœuds à droite sur les fils 5, 6, I et 2.

6 - Le fil 5 fait une série de nœuds à droite sur les fils 6, I et 2.

7 - Le fil 6 fait une série de nœuds à droite sur les fils I et 2.

8 - Le fil I fait un nœud à droite sur le fil 2.

9 - Le fil 3 fait une série de nœuds à gauche sur les fils 4, 5, 6, I et 2. On ferme ainsi le premier triangle.

10 - Le fil 4 fait une série de nœuds à gauche sur les fils 5, 6, I et 2.

11 - Le fil 5 fait une série de nœuds à gauche sur les fils 6, I et 2.

12 - Le fil 6 fait une série de nœuds à gauche sur les fils I et 2.

13 - Le fil I fait un nœud à gauche sur le fil 2.

14 - Le deuxième triangle est fait. Reprenez à partir de l'étape 4 et continuez jusqu'à la longueur désirée.

Sinueux

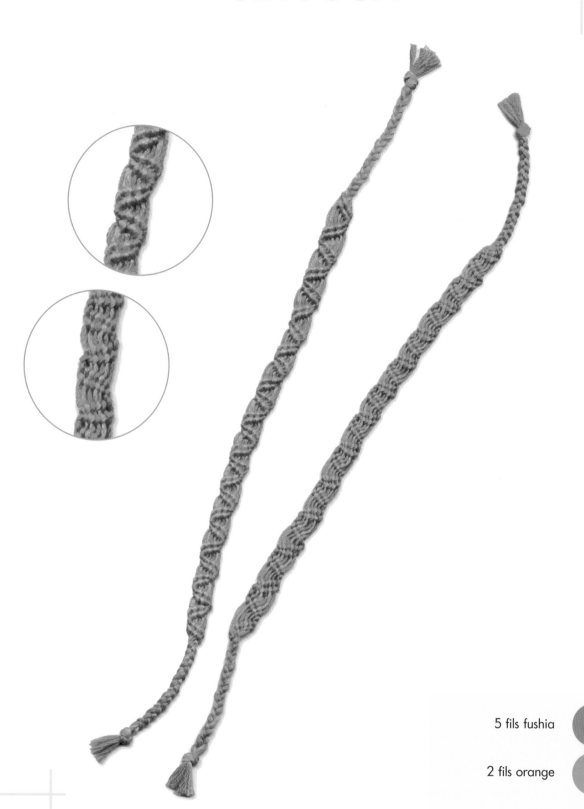

5 fils fushia

2 fils orange

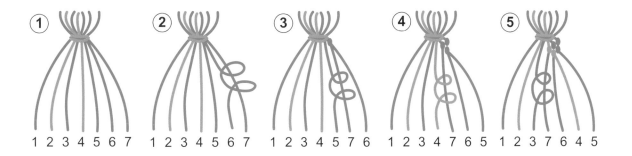

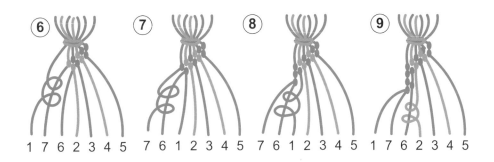

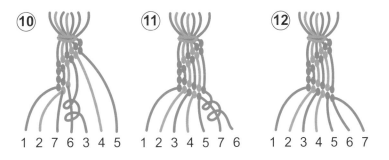

1 - Disposez les fils dans l'ordre indiqué sur le schéma.

2 - Le fil 6 fait un nœud à droite sur le fil 7.

3 - Le fil 5 fait une série de nœuds à droite sur les fils 7 et 6.

4 - Le fil 4 fait une série de nœuds à droite sur les fils 7 et 6.

5 - Le fil 3 fait une série de nœuds à droite sur les fils 7 et 6.

6 - Le fil 2 fait une série de nœuds à droite sur les fils 7 et 6. Puis le fil l fait une série de nœuds à droite sur les fils 7 et 6.

7 - Le fil 7 fait un nœud à droite puis un nœud à gauche sur le fil 6. Le fil 7 reste donc à gauche.

8 - Le fil l fait une série de nœuds à gauche sur les fils 6 et

7 ; on commence l'autre moitié du zigzag.

9 - Le fil 2 fait une série de nœuds à gauche sur les fils 6 et 7.

10 - Le fil 3 fait une série de nœuds à gauche sur les fils 6 et 7. Puis de même, le fil 4 fait une série de nœuds à gauche sur les fils 6 et 7 et le fil 5 fait une série de nœuds à gauche sur les fils 6 et 7.

11 - Le fil 6 fait un nœud à gauche sur le fil 7, on vient de finir la 2ᵉ partie du zigzag.

12 - Reprenez à partir de l'étape 2 et continuez jusqu'à la longueur désirée.

Pois

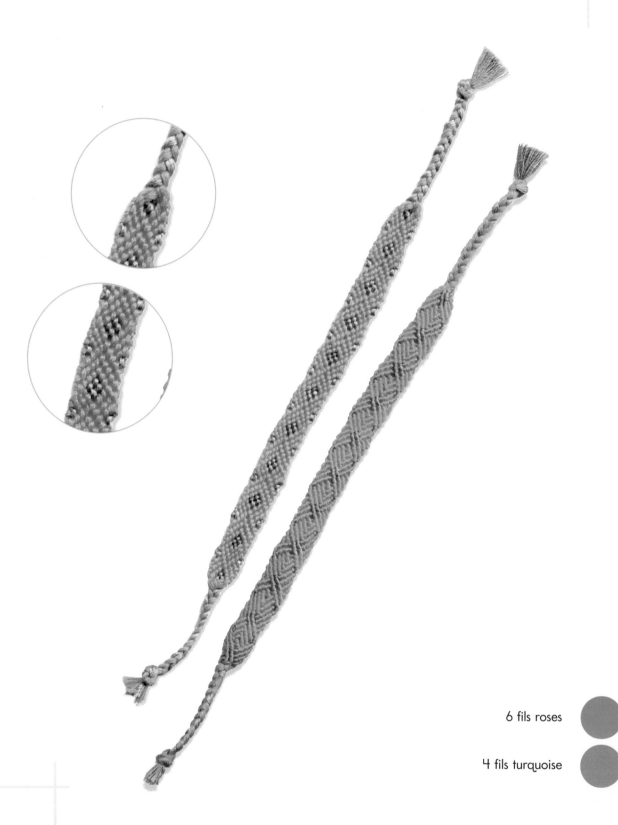

6 fils roses

4 fils turquoise

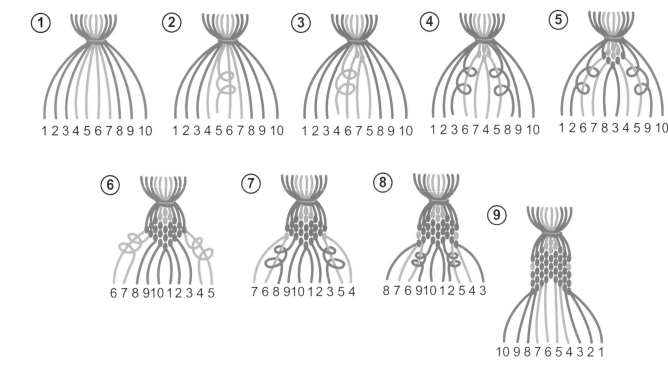

Une variante du système des "V", mais on commence par le centre pour créer des "pois".

1 - Disposez les fils dans l'ordre indiqué sur le schéma.

2 - Le fil 5 fait un nœud à droite sur le fil 6 puis un autre sur le fil 7.

3 - Le fil 4 fait un nœud à droite sur le fil 6 puis un autre sur le fil 7. on obtient un petit losange.

4 - Le fil 3 fait une série de nœuds à droite sur les fils 6 et 7. Le fil 8 fait une série de nœuds à gauche sur les fils 5 et 4. Pour terminer le premier rang du "V", le fil 3 fait un nœud à droite sur le fil 8.

5 - Le fil 2 fait une série de nœuds à droite sur les fils 6, 7 et 8. Le fil 9 fait une série de nœuds à gauche sur les fils 5, 4 et 3. Terminez le rang en faisant un nœud à droite avec le fil 2 sur le fil 9.
Faites le 3ᵉ rang du "V" de la même façon : le fil 1 fait une série de nœuds à droite sur les fils 6, 7, 8 et 9. Le fil 10 fait

une série de nœuds à gauche sur les fils 5, 4, 3 et 2. Terminez le rang en faisant un nœud à droite avec le fil 1 sur le fil 10.

6 - Pour créer les pois sur les côtés, le fil 7 fait un nœud à gauche sur le fil 6 et le fil 4 fait un nœud à droite sur le fil 5.

7 - On commence alors le "V" envers : le fil 8 fait une série de nœuds à gauche sur les fils 6 et 7, et le fil 3 fait une série de nœuds à droite sur les fils 5 et 4.

8 - On continue les 2 rangs du "V" envers : le fil 9 fait une série de nœuds à gauche sur les fils 6, 7 et 8, et le fil 2 fait une série de nœuds à droite sur les fils 5, 4 et 3. Puis le fil 10 fait une série de nœuds à gauche sur les fils 6, 7, 8 et 9, et le fil 1 fait une série de nœuds à droite sur les fils 5, 4, 3 et 2.

9 - On est revenu à la position initiale. Reprenez à partir de l'étape 2 et continuez jusqu'à la longueur désirée.

Arc-en-ciel

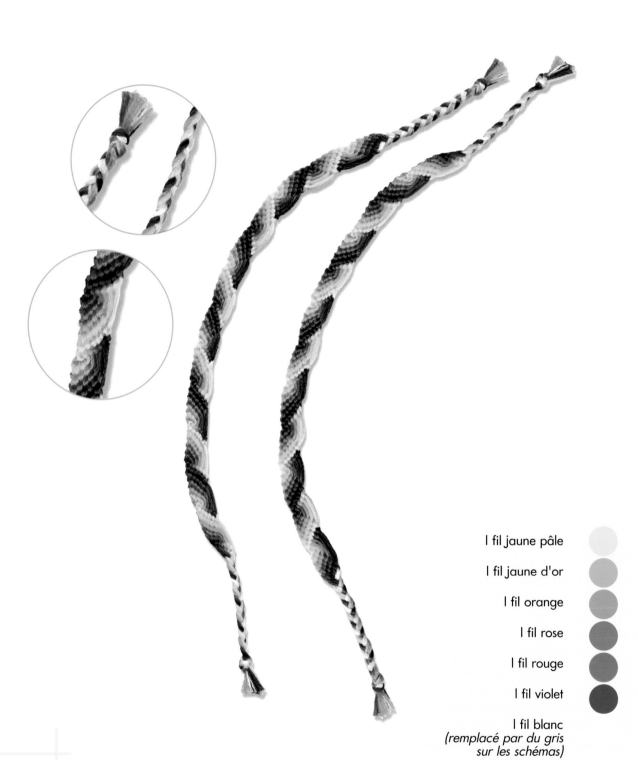

1 fil jaune pâle

1 fil jaune d'or

1 fil orange

1 fil rose

1 fil rouge

1 fil violet

1 fil blanc
*(remplacé par du gris
sur les schémas)*

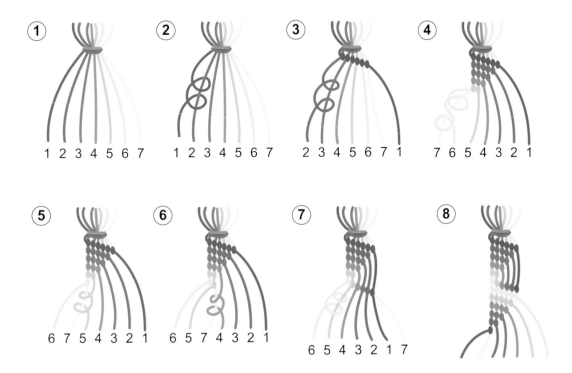

1 - Disposez les fils dans l'ordre indiqué sur le schéma.

2 - Le fil I fait un nœud à droite sur le fil 2, puis successivement sur les fils 3, 4, 5, 6 et 7. Il passe à droite et la première rangée est faite.

3 - Le fil 2 fait un nœud à droite sur le fil 3 puis sur les fils 4, 5, 6 et 7. Faites de même avec les fils 3, 4 et 5. Chaque fil forme une rangée avec un nœud de moins à chaque fois. Le fil 6 se trouve à gauche.

4 - Le fil 6 fait un nœud inversé à droite sur le fil 7, il reste donc à gauche. La premier "arc-en-ciel" est fait, on va ensuite repartir dans l'autre sens.

5 - Le fil 5 fait un nœud à gauche sur le fil 7.

6 - Le fil 4 fait un nœud à gauche sur le fil 7. Faites de même avec les fils 3, 2 et I sur le fil 7. Le fil 7 se retrouve à droite.

7 - On reprend sur le même principe que les étapes 2 à 4 avec les fils dans l'ordre inverse : le fil 6 fait une série de nœuds à droite sur les fils 5, 4, 3, 2, I et 7. Faites de même avec les fils 5, 4, 3, et 2. Chaque fil forme une rangée avec un nœud de moins à chaque fois. Enfin, le fil I fait un nœud inversé à droite sur le fil 7. Le fil I reste à gauche.

8 - Reprenez alors sur le même principe que l'étape 5 et continuez jusqu'à la longueur désirée.

un bracelets brésiliens "classiques"

Serpent

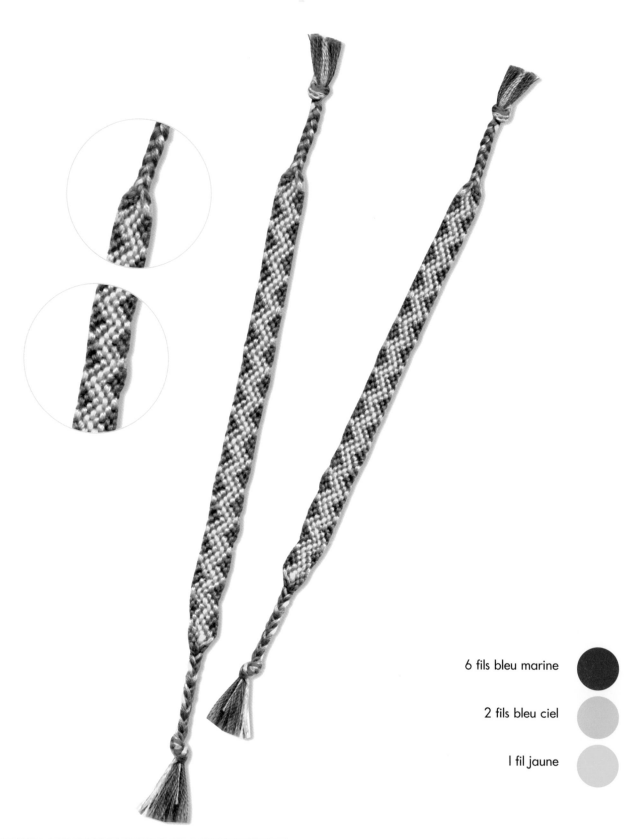

6 fils bleu marine

2 fils bleu ciel

1 fil jaune

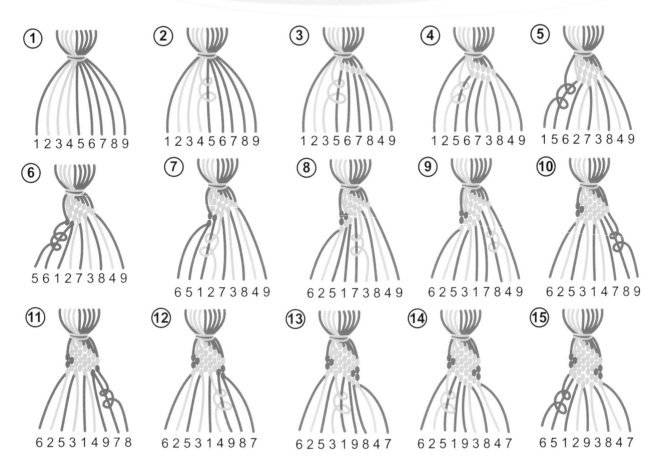

① 1 2 3 4 5 6 7 8 9

② 1 2 3 4 5 6 7 8 9

③ 1 2 3 5 6 7 8 4 9

④ 1 2 5 6 7 3 8 4 9

⑤ 1 5 6 2 7 3 8 4 9

⑥ 5 6 1 2 7 3 8 4 9

⑦ 6 5 1 2 7 3 8 4 9

⑧ 6 2 5 1 7 3 8 4 9

⑨ 6 2 5 3 1 7 8 4 9

⑩ 6 2 5 3 1 4 7 8 9

⑪ 6 2 5 3 1 4 9 7 8

⑫ 6 2 5 3 1 4 9 8 7

⑬ 6 2 5 3 1 9 8 4 7

⑭ 6 2 5 1 9 3 8 4 7

⑮ 6 5 1 2 9 3 8 4 7

1 - Disposez les fils dans l'ordre indiqué sur le schéma.

2 - Le fil 4 fait un nœud à droite sur le fil 5, puis successivement sur les fils 6, 7, et 8. Puis le fil 4 fait un nœud inversé à droite sur le fil 9 et repasse à l'intérieur.

3 - Le fil 3 fait une série de nœuds à droite sur les fils 5, 6 et 7. Puis le fil 3 fait un nœud inversé à droite sur le fil 8 et repasse à l'intérieur.

4 - Le fil 2 fait une série de nœuds à droite sur les fils 5 et 6. Puis le fil 2 fait un nœud inversé à droite sur le fil 7 et repasse à l'intérieur.

5 - Le fil 1 fait une série de nœuds à droite sur les fils 5 et 6.

6 - Le fil 5 fait un nœud à droite sur le fil 6.

7 - Le fil 2 fait une série de nœuds à gauche sur les fils 1 et 5. Puis le fil 2 fait un nœud inversé à gauche sur le fil 6 et repasse à l'intérieur.

8 - Le fil 3 fait une série de nœuds à gauche sur les fils 7 et 1. Puis le fil 3 fait un nœud inversé à gauche sur le fil 5 et repasse à l'intérieur.

9 - Le fil 4 fait une série de nœuds à gauche sur les fils 8 et 7. Puis le fil 4 fait un nœud inversé à gauche sur le fil 1 et repasse à l'intérieur.

10 - Le fil 9 fait une série de nœuds à gauche sur les fils 8 et 7.

11 - Le fil 8 fait un nœud à gauche sur le fil 7.

12 - Le fil 4 fait une série de nœuds à droite sur les fils 9 et 8. Puis le fil 4 fait un nœud inversé à droite sur le fil 7 et repasse à l'intérieur.

13 - Le fil 3 fait une série de nœuds à droite sur les fils 1 et 9. Puis le fil 3 fait un nœud inversé à droite sur le fil 8 et repasse à l'intérieur.

14 - Le fil 2 fait une série de nœuds à droite sur les fils 5 et 1. Puis le fil 2 fait un nœud inversé à droite sur le fil 9 et repasse à l'intérieur.

15 - Reprenez à partir de l'étape 5 et continuez jusqu'à la longueur désirée.

Œil de la méduse

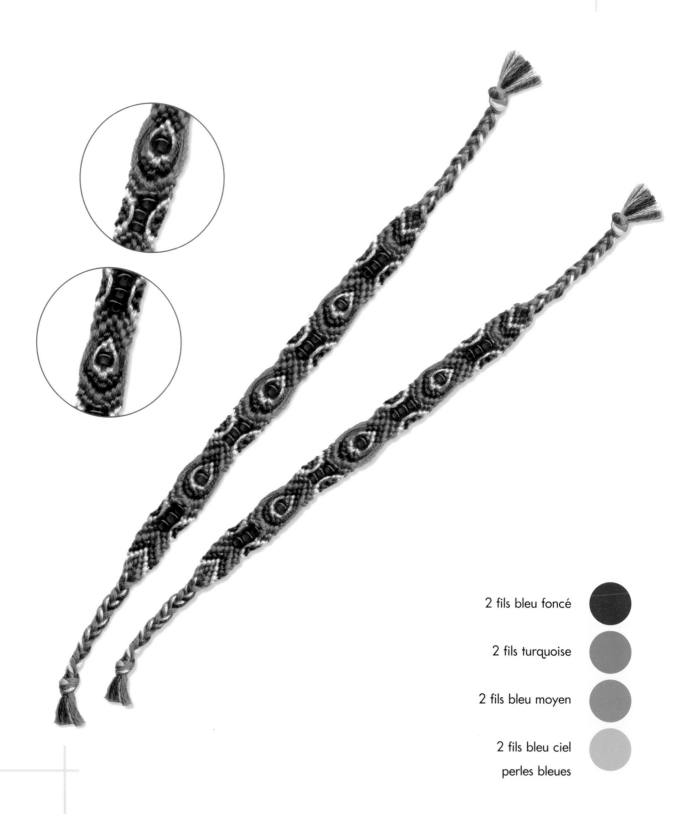

2 fils bleu foncé

2 fils turquoise

2 fils bleu moyen

2 fils bleu ciel

perles bleues

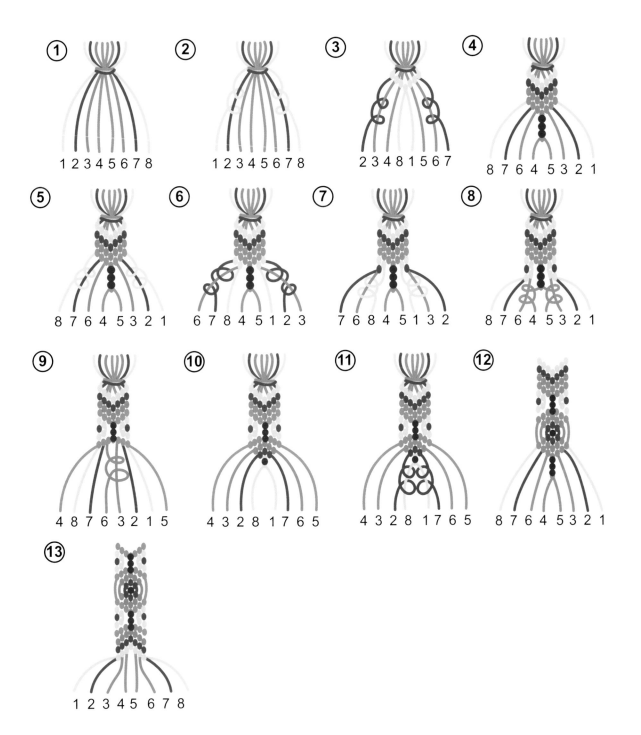

① 1 2 3 4 5 6 7 8

② 1 2 3 4 5 6 7 8

③ 2 3 4 8 1 5 6 7

④ 8 7 6 4 5 3 2 1

⑤ 8 7 6 4 5 3 2 1

⑥ 6 7 8 4 5 1 2 3

⑦ 7 6 8 4 5 1 3 2

⑧ 8 7 6 4 5 3 2 1

⑨ 4 8 7 6 3 2 1 5

⑩ 4 3 2 8 1 7 6 5

⑪ 4 3 2 8 1 7 6 5

⑫ 8 7 6 4 5 3 2 1

⑬ 1 2 3 4 5 6 7 8

Les bracelets brésiliens "classiques"

Œil de la méduse

1 - Disposez les fils dans l'ordre indiqué sur le schéma.

2 - Le fil I fait une série de nœuds à droite sur les fils 2, 3 et 4. Le fil 8 fait une série de nœuds à gauche sur les fils 7, 6 et 5. Pour terminer le rang, le fil I fait un nœud à droite sur le fil 8.

3 - Le fil 2 fait une série de nœuds à droite sur les fils 3, 4 et 8. Le fil 7 fait une série de nœuds à gauche sur les fils 6, 5 et I. Terminez le rang en faisant un nœud à droite avec le fil 2 sur le fil 7.
Faites de même avec les fils 3 et 4 pour le côté gauche et avec les fils 6 et 5 pour le côté droit. Vous avez alors 4 rangs de chevrons : I par couleur et l'ordre des fils est inversé (de 8 à I).

4 - Enfilez alors 3 perles bleues sur les fils 4 et 5.
Puis reprenez les nœuds en faisant un nœud à droite avec le fil 5 sur le fil 4.

5 - Le fil 8 fait une série de nœuds à droite sur les fils 7 et 6. le fil I fait une série de nœuds à gauche sur les fils 2 et 3.

6 - Le fil 7 fait un nœud inversé à droite sur le fil 6, le fil 7 reste donc à gauche. Le fil 2 fait un nœud inversé à gauche sur le fil 3, le fil 2 reste donc à droite.

7 - le fil 8 fait une série de nœuds à gauche sur les fils 6 et 7. Le fil I fait une série de nœuds à droite sur les fils 3 et 2.

8 - Le fil 4 fait une série de nœuds à gauche sur les fils 6,

7 et 8. Le fil 5 fait une série de nœuds à droite sur les fils 3, 2 et I.

9 - Le fil 6 fait un nœud à droite sur le fil 3, puis le fil 3 fait une série de nœuds à gauche sur les fils 7 et 8 et le fil 6 fait une série de nœuds à droite sur les fils 2 et I. De même, le fil 7 fait un nœud à droite sur le fil 2, puis le fil 2 fait un nœud à gauche sur le fil 8 et le fil 7 fait un nœud à droite sur le fil I.

10 - Le fil 8 fait un nœud à droite sur le fil I. Enfilez alors I perle bleue sur les fils I et 8. Puis, le fil I fait un nœud à droite sur le fil 8.

11 - Le fil 2 fait un nœud à droite sur le fil 8 et le fil 7 fait un nœud à gauche sur le fil I, puis le fil 2 fait un noeud à droite sur le fil 7. Sur le même principe, le fil 3 fait une série de nœuds à droite sur les fils 8 et 7 et le fil 6 fait une série de nœuds à gauche sur les fils I et 2, puis le fil 3 fait un nœud à droite sur le fil 6. Enfin, le fil 4 fait une série de nœuds à droite sur les fils 8, 7 et 6 et le fil 5 fait une série de nœuds à gauche sur les fils I, 2 et 3, puis le fil 4 fait un nœud à droite sur le fil 5. On vient de terminer "l'œil".

12 - Reprenez à partir de l'étape 4 et continuez jusqu'à la longueur désirée (il faut compter entre 3 et 4 "yeux" pour faire le tour du poignet).

13 - Après le dernier "œil", terminez par une série de chevrons de chaque couleur pour obtenir la symétrie avec le début.

Yeux perlés

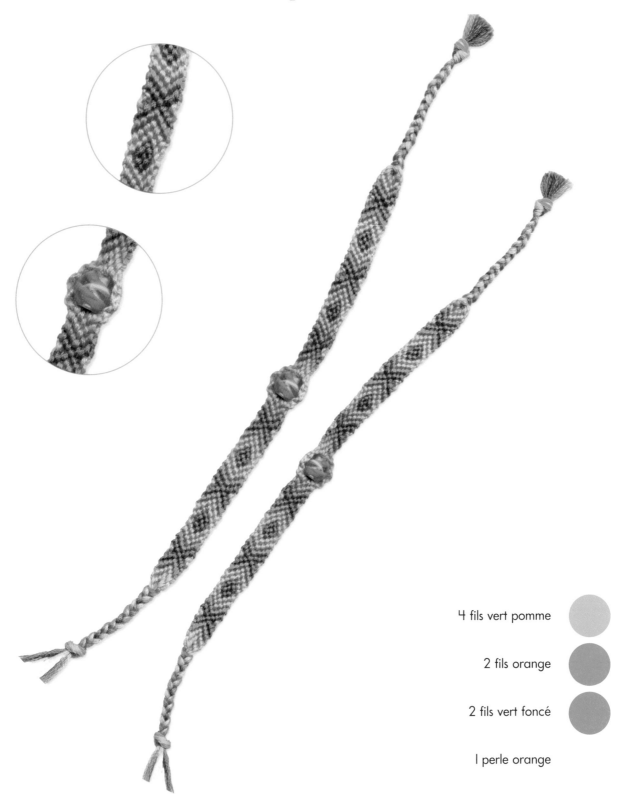

4 fils vert pomme

2 fils orange

2 fils vert foncé

1 perle orange

Réalisation

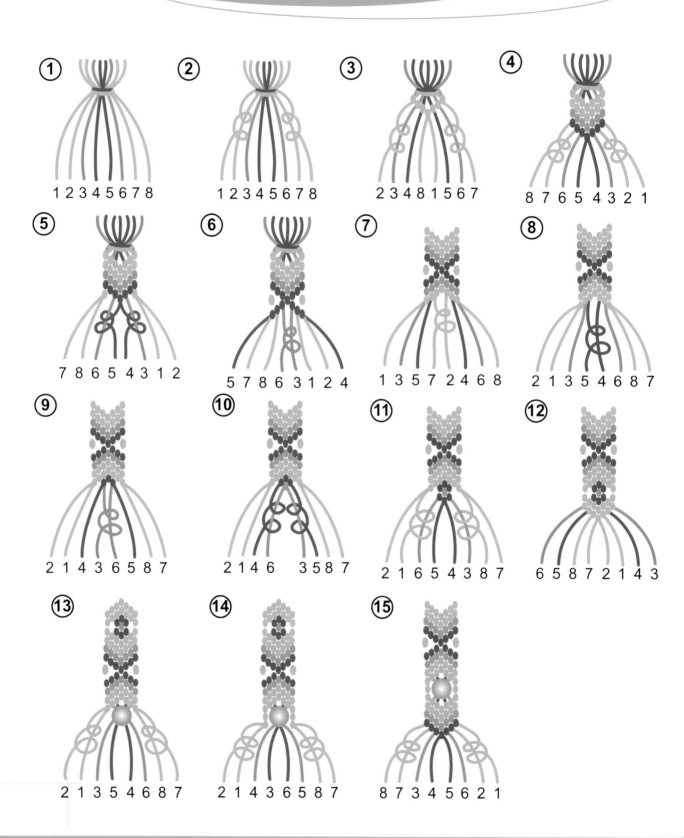

① 1 2 3 4 5 6 7 8

② 1 2 3 4 5 6 7 8

③ 2 3 4 8 1 5 6 7

④ 8 7 6 5 4 3 2 1

⑤ 7 8 6 5 4 3 1 2

⑥ 5 7 8 6 3 1 2 4

⑦ 1 3 5 7 2 4 6 8

⑧ 2 1 3 5 4 6 8 7

⑨ 2 1 4 3 6 5 8 7

⑩ 2 1 4 6 3 5 8 7

⑪ 2 1 6 5 4 3 8 7

⑫ 6 5 8 7 2 1 4 3

⑬ 2 1 3 5 4 6 8 7

⑭ 2 1 4 3 6 5 8 7

⑮ 8 7 3 4 5 6 2 1

1 - Disposez les fils dans l'ordre indiqué sur le schéma.

2 - Le fil I fait une série de nœuds à droite sur les fils 2, 3 et 4. Le fil 8 fait une série de nœuds à gauche sur les fils 7, 6 et 5. Pour terminer le rang, le fil I fait un nœud à droite sur le fil 8.

3 - Le fil 2 fait une série de nœuds à droite sur les fils 3, 4 et 8. Le fil 7 fait une série de nœuds à gauche sur les fils 6, 5 et I. Terminez le rang en faisant un nœud à droite avec le fil 2 sur le fil 7.
Faites de même avec les fils 3 et 4 pour le côté gauche et avec les fils 6 et 5 pour le côté droit. Vous avez alors 4 rangs de chevrons.

4 - Le fil 8 fait un nœud à droite sur le fil 7 et le fil I fait un nœud à gauche sur le fil 2.

5 - Le fil 5 fait une série de nœuds à gauche sur les fils 6, 8 et 7. Le fil 4 fait une série de nœuds à droite sur les fils 3, I et 2.

6 - Le fil 6 fait un nœud à droite sur le fil 3, puis le fil 3 fait une série de nœuds à gauche sur les fils 8, 7, et 5, et le fil 6 fait une série de nœuds à droite sur les fils I, 2 et 4.
De même, le fil 8 fait un nœud à droite sur le fil I, puis le fil I fait une série de nœuds à gauche sur les fils 7, 5 et 3 et le fil 8 fait une série de nœuds à droite sur les fils 2, 4 et 6.

7 - Le fil 7 fait un nœud à droite sur le fil 2, puis le fil 2 fait une série de nœuds à gauche sur les fils 5, 3 et I, et le fil 7 fait une série de nœuds à droite sur les fils 4, 6 et 8.

8 - Le fil 5 fait un nœud à droite sur le fil 4, puis le fil 4 fait un nœud à gauche sur le fil 3 et le fil 5 fait un nœud à droite sur le fil 6.

9 - Le fil 3 fait un nœud à droite sur le fil 6.

10 - Le fil 4 fait un nœud à droite sur le fil 6 et le fil 5 fait un nœud à gauche sur le fil 3, puis le fil 4 fait un noeud à droite sur le fil 5.

11 - Sur le même principe, le fil I fait une série de nœuds à droite sur les fils 6 et 5, et le fil 8 fait une série de nœuds à gauche sur les fils 3 et 4, puis le fil I fait un nœud à droite sur le fil 8. Enfin, le fil 2 fait une série de nœuds à droite sur les fils 6, 5 et I, et le fil 7 fait une série de nœuds à gauche sur les fils 3, 4 et 8, puis le fil 2 fait un nœud à droite sur le fil 7.

12 - Reprenez à partir de l'étape 4 avec un seul rang de chevrons orange et continuez jusqu'à la moitié du bracelet (environ 2 yeux et 3 chevrons croisés) avant d'intégrer la perle au milieu du bracelet.

13 - Enfilez la perle sur les fils 3, 5, 4 et 6. Entourez la perle en faisant des nœuds avec les fils verts : le fil 2 fait un nœud à droite sur le fil I et le fil 7 fait un nœud à gauche sur le fil 8, puis le fil 2 fait un nœud à gauche sur le fil I et le fil 7 fait un nœud à droite sur le fil 8. Recommencez autant de fois que nécessaire pour entourer la perle.

14 - Reprenez alors à partir de l'étape 3 et faites la même chose que la première partie pour créer une symétrie et terminer le bracelet.

Zigzag perlé

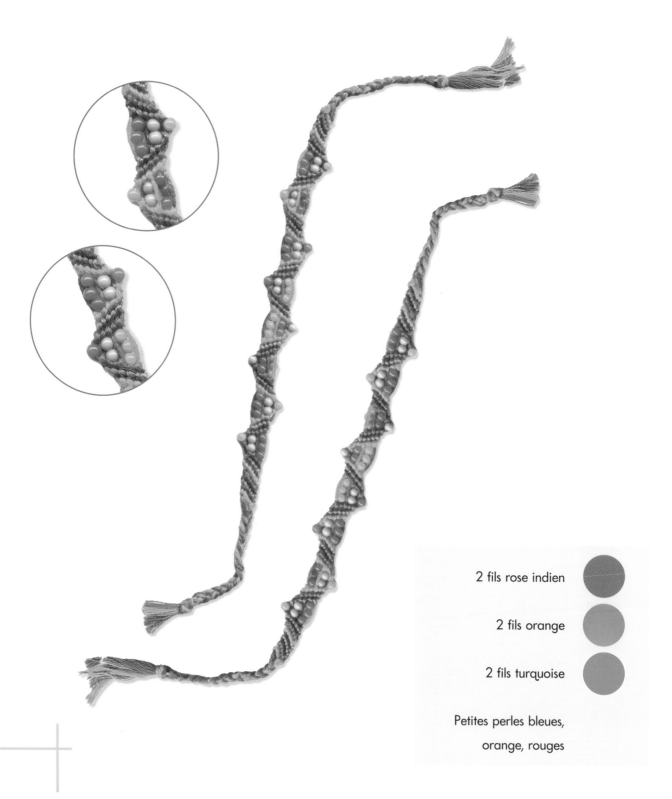

2 fils rose indien

2 fils orange

2 fils turquoise

Petites perles bleues,
orange, rouges

Réalisation

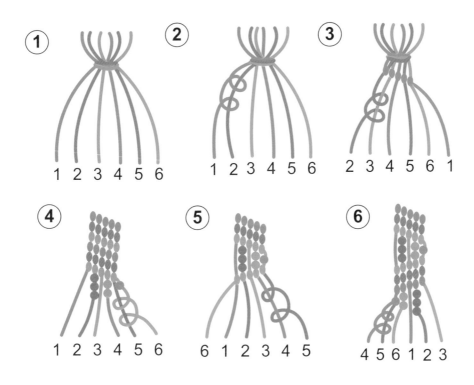

1 - Disposez les fils dans l'ordre indiqué sur le schéma.

2 - Le fil l fait un nœud à droite sur le fil 2, puis successivement sur les fils 3, 4, 5, et 6. Il passe à droite et la première rangée est faite.

3 - Le fil 2 fait une série de nœuds à droite sur les fils 3, 4, 5, 6 et l. Le fil 2 passe à droite. Puis le fil 3 fait une série de nœuds à droite sur les fils 4, 5, 6, l et 2, et ainsi de suite avec chaque fil : le fil 4 fait une série de nœuds à droite sur les fils 5, 6, l, 2 et 3 ; le fil 5 fait une série de nœuds à droite sur les fils 6, l, 2, 3 et 4. Enfin, le fil 6 fait une série de nœuds à droite sur les fils l, 2, 3, 4, et 5.

4 - Enfilez alors 3 perles rouges sur le fil 2, 2 perles bleues sur le fil 4 et l perle orange sur le fil 6. Puis, le fil 6 fait une série de nœuds à gauche sur les fils 5, 4, 3, 2 et l.

5 - Le fil 5 fait une série de nœuds à gauche sur les fils 4, 3, 2, l et 6. Et le fil 4 fait une série de nœuds à gauche sur les fils 3, 2, l, 6 et 5.

6 - Enfilez alors 3 perles rouges sur le fil 2, 2 perles bleues sur le fil 6 et une perle orange sur le fil 4.
Puis le fil 4 fait une série de nœuds à droite sur les fils 5, 6, l, 2 et 3. De même le fil 5 fait une série de nœuds à droite sur les fils 6, l, 2, 3 et 4. Et le fil 6 fait une série de nœuds à droite sur les fils l, 2, 3, 4 et 5.

7 - Reprenez à partir de l'étape 4 et continuez jusqu'à la longueur désirée en changeant les couleurs des perles selon les fils.

Les "macramés"

Torsadé fin rouge et rose

I cordelette rouge

I cordelette rose

Torsadé lavande et mauve

I gros fil satiné lavande

I gros fil satiné mauve

Plat orange et violet

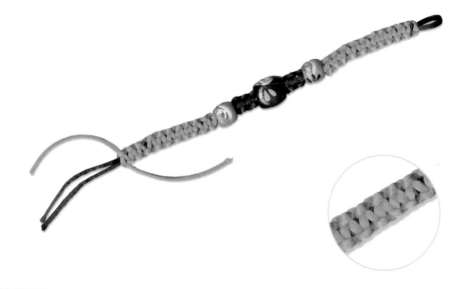

I gros fil satiné orange

I gros fil satiné violet

I grosse perle violette

2 perles moyennes orange

Un bracelet facile à réaliser avec une cordelette fine.

1 - Positionnez un fil rose et un fil rouge à l'intérieur et un fil rose et un fil rouge à l'extérieur.

2 - Tressez le bracelet selon la technique du "noeud torsadé" jusqu'à la longueur voulue.

Un autre bracelet très simple et facile à faire avec un fil plus gros :

1 - Positionnez un fil mauve et un fil lavande à l'intérieur et un fil mauve et un fil lavande à l'extérieur.

2 - Tressez le bracelet selon la technique du "noeud torsadé" jusqu'à la longueur voulue et terminez par un gros nœud.

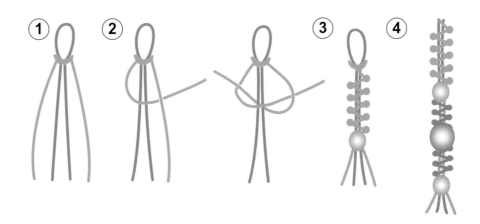

1 - Disposez les fils violets à l'intérieur et les fils orange à l'extérieur, comme sur le schéma.

2 - Faites une série de nœuds plats jusqu'à environ 1/3 du bracelet.

3 - Insérez une perle orange sur les 4 fils puis reprenez le tissage en nœuds plats avec les fils violets autour des fils orange jusqu'aux 2/3 du bracelet.

4 - Insérez la perle violette par-dessus le tissage violet, et insérez une perle orange sur les 4 fils non tissés puis reprenez le tissage en nœuds plats avec les fils orange autour des fils violets jusqu'à la fin du bracelet (le dernier tiers).

Les "macramés"

Fin perlé **marron** et beige

1 fil de coton beige

1 fil de coton marron

2 perles plates beiges

2 perles plates marron

1 perle décorée canard

Fin perlé turquoise et kaki

1 cordelette turquoise

1 cordelette kaki

6 perles bleues

1 perle dorée

Fin torsadé perlé violet

1 fil de coton mauve

1 fil de coton violet

2 petites perles mates violettes

2 petites perles transparentes mauves

2 petites perles transparentes violettes

1 perle à facette transparente violette

2 perles à fleurs

Réalisation

Comme le bracelet suivant, ce bracelet est "réversible", d'un côté le marron est à l'extérieur et de l'autre c'est le beige.

1 - Disposez un fil beige et un fil marron à l'intérieur et un fil beige et un fil marron à l'extérieur.

2 - Tissez le bracelet selon la technique du "noeud plat" jusqu'à la moitié du bracelet.

3 - Enfilez une perle plate beige + une perle plate marron + la perle canard + une perle plate marron + une perle plate beige sur les 4 fils.

4 - Reprenez ensuite le tissage en nœud plat jusqu'à refaire la même longueur que la première partie.

---

1 - Disposez un fil turquoise et un fil kaki à l'intérieur et un fil turquoise et un fil kaki à l'extérieur.

2 - Tissez le bracelet selon la technique du "noeud plat" jusqu'à la moitié du bracelet.

3 - Enfilez 3 perles bleues sur chaque fil extérieur.

Faites un nœud avec les 2 fils du milieu, enfilez la perle dorée sur les fils du milieu et refaites un nouveau nœud.

4 - Reprenez ensuite le tissage en nœud plat jusqu'à refaire la même longueur que la première partie.
Le bracelet est "réversible" : d'un côté le kaki est à l'extérieur et de l'autre c'est le turquoise.

---

1 - Disposez un fil mauve et un fil violet à l'intérieur et un fil mauve et un fil violet à l'extérieur.

2 - Tissez le bracelet selon la technique du "nœud torsadé" jusqu'à 1/3 du bracelet (environ 4 cm).

3 - Enfilez une petite perle mate violette sur les 2 fils du milieu et reprenez le tissage en nœuds torsadés.

4 - Au bout d'environ 0,5 cm, enfilez une petite perle transparente mauve sur les 2 fils du milieu et reprenez le tissage.

5 - Au bout d'environ 1 cm, enfilez une petite perle transparente violette sur les 2 fils du milieu et reprenez le tissage.

6 - Enfin, au bout d'environ 1 cm, enfilez la perle à facette violette sur les 2 fils du milieu et reprenez le tissage.

7 - Puis, au bout d'environ 1cm, pour obtenir la symétrie, reprenez de l'étape 5 à l'étape 3, en insérant d'abord la perle transparente violette puis la mauve et enfin la petite perle mate violette.

8 - Reprenez encore le tissage en nœud torsadé sur 4 cm environ, pour refaire la même longueur que la première partie.

Astuce : pour enjoliver encore un peu le bracelet, commencez et terminez par une tresse, et ajoutez de chaque côté une perle "fleur" entre 2 nœuds.

Wrap simple verts et rose

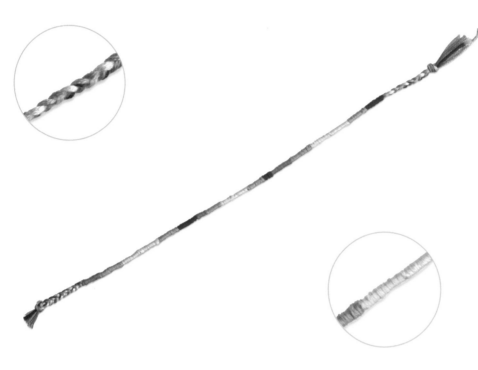

I fil vert foncé

I fil vert anis

I fil vert pâle

I fil rose pâle

I fil rose

I fil rose indien

Wrap doublé jaune, rouge, orange, bleu

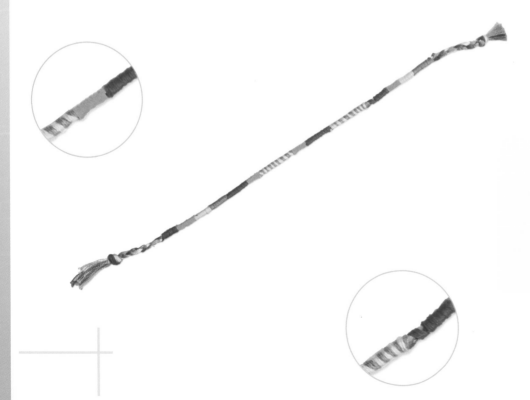

2 fils jaunes

2 fils orange

2 fils bleu lavande

2 fils rouges

Un bracelet très simple à réaliser, puisqu'il suffit de faire une succession d'enroulements de fils, en alternant régulièrement les 6 couleurs.

1 - Commencez par faire 6 bandes un peu larges avec chacune des couleurs.

2 - Puis, faites 6 bandes plus étroites avec chacune des couleurs.

3 - Terminez en faisant à nouveau 6 bandes larges.

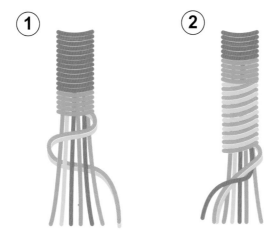

1 - Commencez par une bande de chaque couleur

2 - Prenez ensuite 2 fils de couleurs différentes au lieu d'un seul fil (ici un jaune et un lavande) et enroulez les deux fils ensemble autour des fils centraux.

3 - Replacez ensuite les deux fils avec les autres et prenez un nouveau fil pour continuer l'enroulement.

Wrap entortillé pailleté

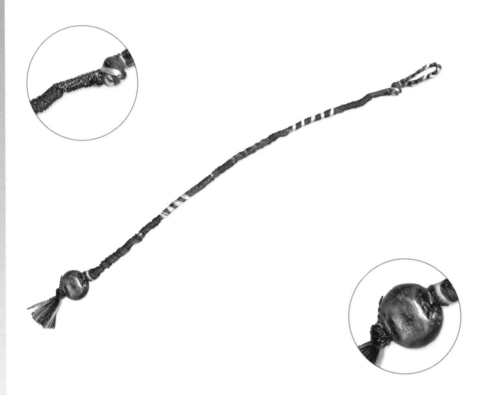

- I fil pailleté argent
- I fil pailleté turquoise
- I fil blanc
- I fil noir
- I fil turquoise
- I grosse perle pailletée bleue

Wrap tortillon simple gris/**noir**

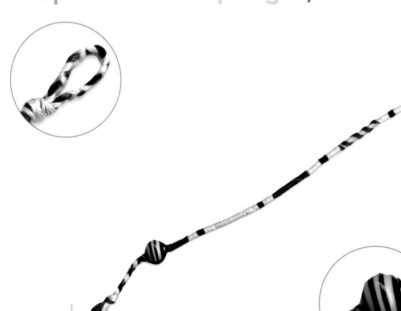

- I fil noir
- I fil gris anthracite
- I fil gris clair
- I fil blanc
- I perle noire et blanche

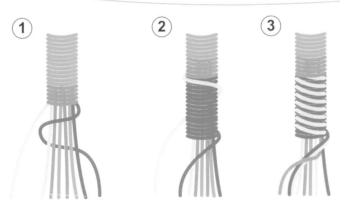

1 - Commencez par une bande pailletée argent + une bande pailletée turquoise + une bande pailletée argent.

2 - Pour créer le tortillon : mettez de côté le fil qui passera sur l'enroulement (ici le fil blanc), prenez un fil pailleté turquoise et enroulez-le autour des autres fils.

3 - Quand la longueur voulue est atteinte, reprenez le fil blanc mis de côté et entortillez-le de façon assez espacée au-dessus de l'enroulement pailleté turquoise. Replacez ensuite les 2 fils avec les autres et continuez le bracelet selon le même principe, en alternant les couleurs des entortillements.

Attention : pensez à bien serrer les fils pour que le tortillon reste bien en place.

Petit "plus" : commencez le bracelet avec une boucle tressée et terminez-le avec une grosse perle pailletée bleue.

C'est ici exactement le même principe que le bracelet wrap entortillé pailleté. Commencez par une boucle tressée. On joue ensuite sur la symétrie dans l'alternance des couleurs et on ajoute un petit plus en terminant par une perle zébrée noire et blanche.

Les "wraps"

Wrap double tortillon et **camaïeux de bleus**

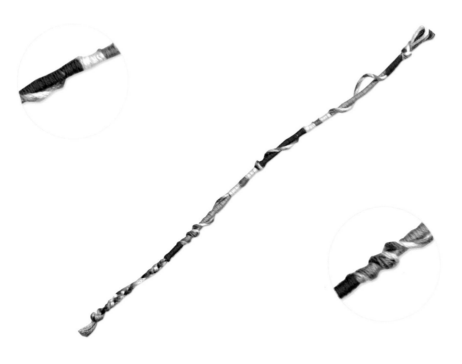

2 fils bleu marine

2 fils bleus moyens

2 fils bleu lavande

2 fils bleu ciel

Wrap **croisillons** et ruban de satin

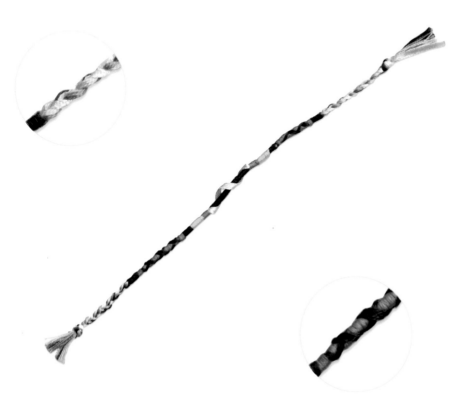

2 fils roses

2 fils violets

2 fils jaunes

l ruban fin de satin rose

Encore un bracelet sur le principe du tortillon mais on créé ici l'entortillement avec 2 fils.

1 - Commencez par une bande bleu marine.

2 - Pour créer le tortillon : mettez de côté les 2 fils (blanc + lavande) qui passeront sur l'enroulement, prenez un fil bleu ciel et enroulez-le autour des autres fils.

3 - Quand la longueur voulue est atteinte, reprenez les fils mis de côté, entortillez-les ensemble puis enroulez-les de façon assez espacée au-dessus de l'enroulement bleu ciel. Replacez ensuite les 3 fils avec les autres et continuez le bracelet selon le même principe.

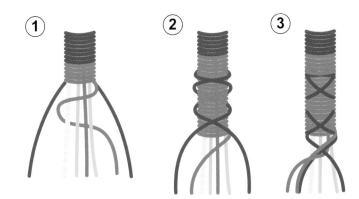

Toujours sur le même principe des tortillons, on va ici croiser les fils au-dessus des enroulements.

1 - Commencez par une bande violette puis faites un enroulement rose.

2 - Pour créer le tortillon : mettez de côté les 2 fils violets qui passeront sur l'enroulement, prenez un fil rose et enrou-lez-le autour des autres fils.

3 - Quand la longueur voulue est atteinte, reprenez les fils mis de côté, enroulez-les au-dessus de l'enroulement rose en les croisant. Replacez ensuite les 3 fils avec les autres et continuez le bracelet selon le même principe.

4 - Utilisez le ruban de satin rose pour créer un enroule-ment simple au milieu du bracelet.

Les "wraps"

Wrap tortillon tressé jaune, **vert**, orange, **rouge**

2 fils jaunes

2 fils orange

2 fils rouges

2 fils vert kaki

Wrap noué en camaïeux de verts

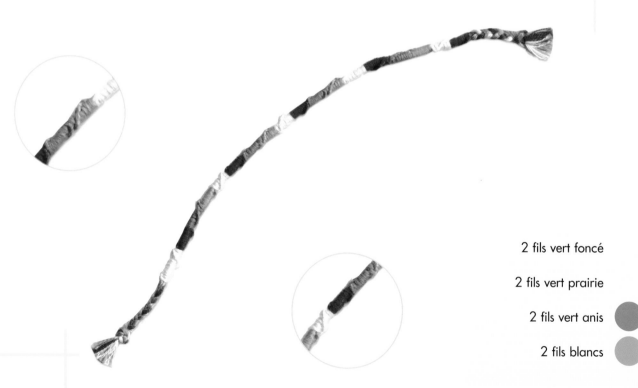

2 fils vert foncé

2 fils vert prairie

2 fils vert anis

2 fils blancs

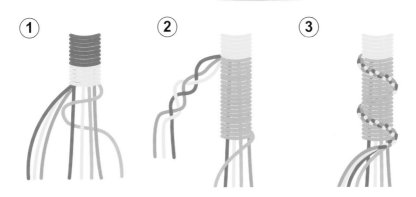

Encore une variante des tortillons, ici avec des tresses.

1 - Commencez en wrap simple en alternant symétriquement les couleurs comme sur le schéma.

2 - Pour créer le tortillon tressé : mettez de côté 3 fils (I rouge + I orange + I jaune), prenez un fil vert et enrou-lez-le autour des autres fils.

3 - quand la longueur voulue est atteinte, reprenez les 3 fils mis de côté, tressez-les ensemble puis enroulez la tresse au-dessus de l'enroulement vert. Replacez ensuite les 3 fils + le fil vert avec les autres et continuez le bracelet selon le même principe.

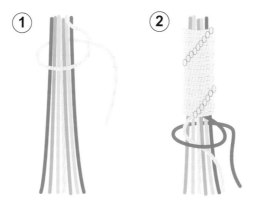

Voici une nouvelle façon de faire des bracelets "wrap":

1 - Prenez un fil blanc et enroulez-le autour des autres fils en terminant chaque tour par un nœud à droite, comme indiqué sur le schéma. Continuez jusqu'à la longueur voulue puis replacez le fil blanc avec les autres fils.

2 - Prenez alors un fil vert et faites de même. Continuez sur le même principe, un nœud à droite à chaque tour, en alternant les couleurs jusqu'à la longueur voulue.

Les "wraps"

Wrap à croisillons et perles marron

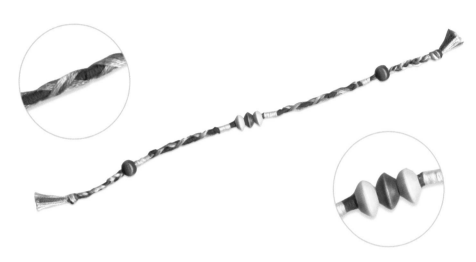

2 fils marron foncé

2 fils marron clair

2 fils beiges

2 fils blanc cassé

2 perles plates beiges
1 perle plate marron
2 perles rondes marron

Wrap enroulé + **perles rouges**/orange

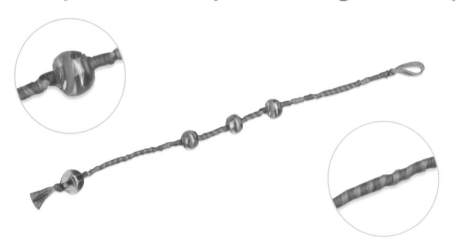

2 fils rouges

2 fils orange

3 perles rondes rayées
orange
1 grosse perle
transparente orange

Wrap à perles **et boulons**

1 fil vert anis

1 fil pailleté argent

1 fil noir

2 perles acier noir
4 rondelles acier noir
1 petit tube acier noir

1 - Après avoir fait une tresse pour commencer le bracelet, enfilez une perle ronde marron et commencez par un enroulement blanc cassé.

2 - Utilisez ensuite la technique du croisillon mais avec 4 fils : mettez de côté 2 fils beiges et 2 fils marron clair et faite un enroulement avec un fil marron foncé.

3 - Quand la longueur voulue est atteinte, reprenez les fils mis de côté, enroulez-les au-dessus de l'enroulement marron en les croisant 2 par 2. Replacez ensuite les 5 fils avec les autres et faites un petit enroulement blanc cassé + un petit enroulement marron foncé.

4 - Enfilez sur tous les fils 1 perle plate beige + 1 perle plate marron + 1 perle plate beige, et reprenez ensuite un petit enroulement marron + un petit enroulement blanc cassé.

5 - Faites un nouveau croisillon similaire au premier et terminez le bracelet comme vous l'avez commencé avec une perle + une tresse.

Une combinaison de la technique du wrap enroulé avec un double fil et l'insertion de perles.

1 - Commencez par un wrap simple et faites une bande rouge + une bande orange.

2 - Faites un enroulement double avec un fil orange et un fil rouge pour créer cet effet rayé.

3 - Alternez un enroulement rouge, un enroulement orange et à nouveau un enroulement rouge, faites un nœud à droite pour bien maintenir les fils.

4 - Enfilez alors sur tous les fils une perle rayée orange, faites un nœud avec 1 fil pour maintenir la perle et reprenez ensuite un enroulement double avec un fil orange et un fil rouge, faites un nœud.

5 - Refaites l'étape 4 et terminez en enfilant une dernière perle rayée orange. Faites un nœud avec 1 fil et reprenez à l'envers à partir de l'étape 3 et jusqu'à l'étape 1.

6 - Pour terminer, enfilez la grosse perle orange et faites un nœud avec tous les fils pour la fixer.

C'est un bracelet très simple qui trouve son originalité dans l'utilisation de perles et rondelles en acier alliées au fil pailleté.

1 - Commencez par une boucle tressée, et faites un wrap simple en suivant le modèle sur la photo.

2 - Insérez au fur et à mesure les rondelles et les perles d'acier, en pensant bien à les encadrer par des nœuds pour bien les maintenir.

3 - Après avoir enfilé la 1re perle, faites un wrap à nœuds (cf. le bracelet en camaïeux de verts) et enfilez le tube d'acier par-dessus, puis enfilez la 2e perle et continuez selon le shéma.

4 - Terminez en enfilant 2 rondelles qui permettront de fermer le bracelet.

Les "wraps"

Wrap à nœuds + perles poissons

1 fil violet

2 fils mauves

1 fil blanc

6 petits poissons mauves
avec crochets
2 grosses perles violette

Wrap avec fil perlé sur le côté

2 fils verts

2 fils mauves

2 fils orange

2 fils rouges

8 petites perles vertes
8 petites perles jaunes
8 petites perles orange
8 petites perles rouges
8 petites perles violettes

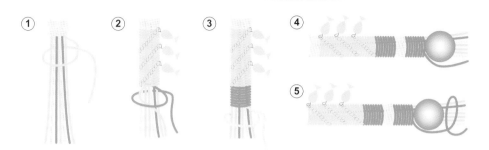

1 - Commencez par un wrap simple en suivant l'alternance des couleurs de la photo : I bande blanche + I bande mauve + I bande violette + I bande blanche.

2 - Faites alors un wrap à nœuds avec un fil mauve que vous enroulez autour des autres fils en terminant chaque tour par un nœud à droite, selon la technique expliquée pour le bracelet en camaïeux de verts. Insérez régulièrement les petits poissons mauves, en les enfilant dans la boucle des nœuds.

3 - Reprenez un wrap simple avec une bande violette, une bande blanche et une bande violette.

4 - Faites un nœud à droite avec le fil violet, mettez-le de côté et insérez I grosse perle violette sur les autres fils, puis refaites un nouveau nœud à droite avec le fil violet sous la perle pour la maintenir.

5 - Reprenez un wrap simple avec une bande violette, une bande blanche et une bande violette. Puis refaites l'étape 2 puis l'étape I en inversant les couleurs pour la symétrie.

6 - Terminez par 2 petites tresses, croisez les tresses dans la 2ᵉ perle violette et faites un double nœud.

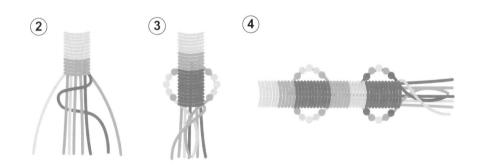

1 - Commencez par un wrap simple et faites une bande verte + une bande violette + une bande orange.

2 - Mettez de côté 2 fils (peu importe la couleur, prenez les plus longs), prenez un fil rouge et enroulez-le autour des autres fils sur environ I cm.

3 - Sur chaque fil mis de côté, enfilez 4 perles en alternant les couleurs : vert + violet + jaune + violet + vert.
Replacez les fils de côté ainsi que le fil rouge avec les autres et reprenez l'enroulement avec un fil orange.

4 - Continuez en alternant les couleurs comme sur la photo et répétez les étapes 2 et 3 en changeant les couleurs des perles et des fils.

Les tresses

Tresse **perlée camaïeux** de mauves

I fil mauve
I fil violet pâle
I fil lavande
2 perles roses
2 perles mauves
2 perles prune
I perle violette

Tresse avec perles roses, orange, **rouges**

I cordelette rouge
I cordelette rose
I cordelette orange
2 grosses perles rouges
I grosse perle orange

Tresse avec fils perlés sur le côté

I fil jaune
I fil orange
I fil vert
I0 perles jaunes
I0 perles orange
I0 perles vertes

Réalisation

1 - Commencez par une tresse simple sur un peu plus d'un tiers du bracelet.

2 - Enfilez une petite perle prune sur le fil du milieu et passez les 2 autres fils sur le côté de la perle. Faites un tressage juste après la perle.

3 - Recommencez en enfilant une perle mauve sur le nouveau fil du milieu. Mettez encore les 2 autres fils sur le côté et faites un tressage juste sous la perle.

4 - Recommencez avec une perle rose puis une perle violette et ainsi de suite de façon à alterner et créer une symétrie dans les couleurs de perles.

5 - Terminez par une tresse simple.

Il s'agit d'un des bracelets les plus simples et les plus rapides à réaliser.

1 - Faites une tresse simple avec les 3 cordelettes.

2 - Enfilez sur la tresse une perle rouge à environ 1/3 du bracelet, puis une perle orange au milieu du bracelet et enfin pour créer la symétrie une 2e perle rouge aux 2/3 du bracelet.
Si les perles ne tiennent pas bien, n'hésitez pas à faire un petit nœud à droite avec un fil avant et après chaque perle.

1 - Commencez par une boucle tressée, un nœud puis tresse simple sur environ 1/3 du bracelet.

2 - Enfilez 3 perles jaunes sur les 2 fils jaunes, 3 perles orange sur les 2 fils orange, 3 perles vertes sur les 2 fils verts.

3 - Reprenez le tressage sur 1 cm environ, en serrant bien le premier tressage sous les perles. Recommencez 2 fois.

4 - Terminez par une tresse simple et pour ajouter un petit "plus", nouez 2 à 2 les fils de chaque couleur ; insérez une perle de la même couleur et refaites un petit nœud sous chaque perle.

mfg Atelier

6, rue du Bourbonnais
C.E. 1705 Lisses
91017 Évry Cedex (France)
Tél. : 33 (0) 1 69 11 31 80/81
Fax : 33 (0) 1 69 11 31 89
mfg.education@wanadoo.fr

Création bracelets brésiliens : Delphine Glachant
Conception : Anne-Sophie Bailly
Réalisation graphique : LULU créations
Photos : Polacouic
Relecture : Max Duco

Imprimé en Chine
© 2005 M.F.G Éducation
Dépôt légal : 2ᵉ semestre 2005